EEN NAAM VOOR HOND

Karel Verleyen

Een naam voor Hond

met tekeningen van
Gerda Dendooven

Davidsfonds/Infodok

4   Hond loopt in het park.
     Zijn snuit is nat.
     Hij huilt.
     Langzaam rollen
     tranen omlaag.
     Heeft Hond honger?
     Nee, dat is het niet.

5 Hond ligt stil bij een boom.
Naast hem ziet hij een lekker bot.
Maar Hond heeft geen trek.
Heeft hij ergens pijn?

Nee, Hond heeft geen gewone pijn.
Niet aan zijn oren en
niet aan zijn ogen.
Niet aan zijn snuit
of in zijn buik.
En ook niet aan zijn poten.
De pijn zit diep in hem.

6 Hond is heel triest,
want hij heeft geen naam
en geen huis.
En een baasje
heeft hij ook niet.
Alleen een plekje in het park
en een bot om op te bijten.

7   Hond staat op.
     Hij pakt het bot in zijn muil
     en loopt ermee weg.
     Ik wil een naam! denkt hij.
     Met een naam vind ik
     misschien wel een baasje.
     Een baasje met een warm huis.

8 Hond loopt naar een plas op de weg.
Hij kijkt in het water.
Twee zwarte oren, twee bruine ogen,
een bleke snoet, een donkere neus
en een bot in zijn bek.
Hond vindt zichzelf wel mooi.
Dat maakt hem een beetje blij.
Maar Hond wil een naam,
een huis en een baasje.
En een mand om in te slapen.

9 Er valt een blad in de plas.
en opeens heeft Hond
een gekke snoet vol rimpels.

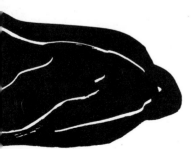

10 Hond loopt over de weg.
Waar haalt hij een naam?
O, kijk daar!
Iets wipt heen en weer.
Het is een mus, een kleine
bruine mus die pikt en pikt.
Hond loopt er naartoe en pikt
net als de mus op de grond.
Au, dat deed pijn zeg!
Het bot valt uit zijn muil.
Dag mus. De mus wipt weg.
Ze vindt Hond maar vreemd.

TSJIP

11 Mus, heb je geen naam voor mij?
Tsjip, zegt de mus.
Tsjip? denkt Hond.
Hij houdt zijn kop schuin.
Tsjip?
Is dat een goede naam?
Hij zegt het nog een keer.
Zijn stem doet zo gek.
Nee, Tsjip is geen naam voor hem.
Tot ziens, mus.

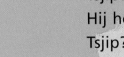

12   Hond pakt zijn bot op
en loopt weg.
Wat nu?
Daar is nog een beest!
Het is bijna helemaal wit.
En het wandelt zo raar.
Waggel, waggel.
Het heeft een platte bek
en ook zijn oranje poten zijn plat.
En wat een gek staartje!

13 Hond laat zijn bot
    op de grond vallen.
    Hij waggelt ook en
    wiebelt met zijn staart.
    Dag beest, zegt hij.
    Wat ben jij?
    Het beest staat stil
    om naar Hond te kijken.

14   Ik ben een eend.
        Waarom loop je zo gek?
        Ik loop toch net als jij? zegt Hond.
        Zeg, heb jij een naam voor mij?
        Kwak! zegt de eend.
        Die hond is gek, denkt ze.

KWAK

15 Kwak, doet Hond.
Is Kwak een goede naam?
Hond zegt nog eens Kwak.
Tsjip, Kwak.
Nee, dat zijn geen namen
voor een hond.
Dag, eend.
Toch bedankt!

WAK

16   En weer loopt Hond weg.
      Hij heeft nog altijd geen naam.
      Dan blijft Hond bij een boom staan.
      Hij kijkt omhoog.
      Op de onderste tak zit een beest
      met een ronde kop.
      Het is een kop met twee
      puntige oren en
      grote, ronde ogen.
      Het beest heeft ook een snor.
      Dag, welk beest ben jij?
      vraagt Hond.

17   Het beest blijft in de boom
        zitten en zegt:
        Jij bent dom.
        Ken je mij niet?
        Ik ben een kat.
        Pas maar op of ik krab.
        Hond is niet bang.
        Hij wil in de boom, maar hij valt.
        Alleen katten kunnen goed klimmen.

Dag kat, zegt hij.
Ik zoek een naam.
De kat schudt haar kop.
Wat een domme hond.
Wat moet hij met een naam?
Een naam kun je toch niet eten?
Ik wil een naam, zegt Hond weer.
Een hond zonder naam
is geen echte hond.
Of ken je een baasje, kat?
Met een baasje ben ik ook al blij,
want een baasje kent een naam.

MIAUW

19   De kat schudt weer haar kop.
      Miauw, zegt ze traag.
      Miauw? herhaalt Hond.
      Zou dat een goede naam zijn?
      Tsjip, Kwak, Miauw.
      Nee, geen enkele naam is goed.
      Hond zucht heel diep en pakt
      zijn bot maar weer in zijn muil.

En weer loopt hij weg.
Zijn kop en zijn staart
hangen droevig omlaag.
Hond kijkt niet waar hij loopt en...
Boem!
Hij botst tegen een boom.
Het bot valt in het gras.
Naast de boom staat een bloem.

21 Dag bloem, zegt Hond.
Ken jij geen naam voor mij?
De bloem zegt niets.
Maar in de bloem zit een dikke bij.
Wat wil je? vraagt de bij.
Ze vliegt uit de bloem en
gaat op de neus van Hond zitten.
De ogen van Hond draaien.
Hij kijkt scheel.
Opeens ziet hij twee bijen.
Wat wil je? vraagt de bij weer.
Je kijkt scheel.
Hond knikt.
Jullie zitten op mijn neus.

22   De bij vliegt weer naar de bloem.
     Nu staan de ogen van Hond weer recht.
     Hij schudt zijn kop.
     De bij is weer alleen.
     Heb jij een naam voor mij? vraagt Hond zacht.
     Ik wil een naam.
     Zoem, zegt de bij.
     Hond denkt diep na.
     Zoem, zegt hij. Zoem.
     Tsjip, Kwak, Miauw, Zoem.
     Ach nee, weer geen goede naam.
     Dag bij, zegt Hond.
     Dag bloem.
     Dag bij in de bloem.

23   Met zijn bot loopt hij weer
op het gras naast de weg.
Geef mij dat bot!
Hond schrikt.
Wat was dat?
O, nog een hond.
Maar wel een grote hond.
Met een grote zwarte kop.
En scherpe witte tanden.

24 Geef dat bot hier!
Hond schudt zijn kop.
Het bot is van hem.
De grote hond komt op hem af.
Hond begint te trillen.
Hij laat het bot los,
maar zet zijn poot erop.
Als je mij een naam geeft,
krijg je het bot, blaft Hond bang.

WOEF

25 Woef, zegt de grote hond woest.
Woef, doet Hond.
Ja, dat is een mooie naam.
Woef.
Nee, blaft de zwarte hond luid.
Die naam krijg je niet.
Het is mijn naam!

OEF

26   Hond zet een stap achteruit
      en knikt verdrietig.
      Dan springt de grote hond
      naar het bot en holt ermee weg.
      Hond blaft boos.
      Hier met mijn bot!
      Maar de grote hond loopt snel.
      Hond is nu zijn bot kwijt.
      Hij heeft niets meer
      en dat is heel erg.

27   Hond gaat op het gras
bij een bank liggen.
Au!
Er rolt een bal
tegen zijn snoet.
Iemand roept.
Pas op, de bal!
Een hond!
Die bijt de bal stuk.

Maar dat doet Hond niet.
De bal is rood en geel en blauw.
Het is een mooie bal.
Hond kijkt ernaar.
Dan ziet hij een voet.
En nog een voet.
Twee benen.
Een jongen.

De jongen hurkt naast Hond.
Dag, mooie hond. Mag ik mijn bal terug?
Waar is je baasje?
De jongen kijkt rond.
Hij ziet niemand.
Ben jij helemaal alleen?
De jongen streelt Hond.
Over zijn kop en over zijn rug.

Hond wordt warm van binnen.
Hij is opeens heel blij.
Ik heb geen naam en geen baasje
en geen huis, zegt hij.
De jongen kijkt naar Hond.
Ik weet een naam voor jou.
Ik noem je Flap.

Flap, zegt Hond stil.
Die naam vindt hij wel mooi.
En je mag met mij mee, Flap,
zegt de jongen nu.
Ik neem je mee naar huis.
Ik heb een mand.
Mijn ouders vinden het wel goed.

Wil je dat, Flap?
Flap springt overeind.
Hij likt de hand van de jongen.
En of hij dat wil!
De jongen pakt de bal
en geeft er een trap tegen.
Ik ga naar huis, roept hij blij.
Ik ga naar huis met Flap!

31   En nu woont Flap bij de jongen.
     Hij slaapt in zijn mand.
     En in die mand ligt zijn nieuwe bot.
     De jongen en Flap spelen vaak met elkaar.
     Flap is nu een echte hond.
     Met een baasje, een huis
     en een warme mand.
     En eindelijk heeft hij een naam.
     Flap.

Colofon

Verleyen, Karel
Een naam voor Hond

Leuven, Davidsfonds/Infodok, 1996
32 p.; 22 cm
© 1996, Uitgeverij Davidsfonds/Infodok, Leuven
Blijde-Inkomststraat 79-81, 3000 Leuven
Gedrukt en gebonden bij Proost, Turnhout
Omslagillustratie: Gerda Dendooven
Illustraties: Gerda Dendooven
Vormgeving: Dooreman
D/1996/2952/02
ISBN 90 6565 719 3
Doelgroep: kinderen
NUGI 260

LEESINDEX 109
AVI-NIVEAU 3

STICHTING NEDERLANDSE
KINDERJURY
1997